COLLECTION POÉSIE

PHILIPPE JACCOTTET

Poésie

1946 - 1967

Préface
de Jean Starobinski

GALLIMARD

« PARLER AVEC LA VOIX DU JOUR »

*A l'approche de ces poèmes s'éveille une confiance.
Notre regard, passant d'un mot à l'autre, voit se
déployer une parole loyale, qui habite le sens, comme
la voix juste habite la mélodie. Nulle feinte, nul
apprêt, nul masque. Nous pouvons accueillir sans
ruse interposée, cette parole qui s'offre à nous sans
détour. Un émerveillement, une gratitude nous saisit :
la diction poétique, le discours poétique (mais délivré
de tout artifice oratoire) sont donc possibles, toujours
possibles ! C'est ce dont, à considérer la plupart des
productions du jour, il semblait qu'il fallût désespérer,
pour ne plus rencontrer que le souvenir brisé de ce
que fut la Poésie...*

*La confiance qu'il éveille en son lecteur, sans doute
Philippe Jaccottet la doit-il à la règle qu'il s'impose
à lui-même, et qui l'oblige à se porter caution de
chaque mot qu'il écrit : il fait bonne garde contre
l'outrance, la solennité, la grandiloquence ; il se défie
des trop brillantes images ; il a horreur de la gratuité.
Le péché majeur, pour lui, serait de ne pouvoir à
tout instant contresigner sa poésie par les gestes de la
vie, par les nuances authentiques du monde perçu,*

par les certitudes (le peu de certitude) de la pensée.
Que nous sommes loin d'une poétique du libre abandon,
de la rencontre hasardeuse, du tout venant! Que nous
sommes loin aussi de toute construction délibérée!
Nous discernons, en chaque mot, la faveur presque
inespérée dont il procède, mais aussi l'assentiment
(parfois tremblant) qui en assure la validité et qui
l'autorise à s'inscrire sur la page. Philippe Jaccottet
ne dit jamais que ce qu'il croit pouvoir dire. C'est là
ce qu'il faut bien nommer le fondement éthique de cette
poésie : Jaccottet n'estime pas que la vérité soit un
vain mot, ni qu'il soit illusoire de tenter d'allier, en
un pacte indissoluble, le vrai avec la parole poétique.
La poésie de Jaccottet tirera sa force non de l'énergie
improvisatrice ni de l'ingéniosité combinatoire, mais
de l'exigence constante de la véracité : exigence d'autant
plus impérieuse qu'elle ne prend appui sur aucun
savoir présomptif, sur aucune conviction invariable.
Son seul garant est la relation interrogative qu'elle
entretient avec le monde. Il importe, en effet, de le
préciser : la vérité — si difficile à sauvegarder parmi
les mensonges qui nous harcèlent — n'est pour Jaccottet
ni une croyance, ni un système d'idées, ni même une
intimation du sentiment. Elle se révèle dans la qualité
d'une relation au monde, dans la justesse toujours
renaissante du rapport avec ce qui nous fait face et qui
nous échappe. La franchise poétique de Jaccottet ne
tombe pas sous le coup des difficultés que rencontre,
de vieille date, le « souci de sincérité »; l'être est ici
tout entier recherche, et, pour lui, se montrer fidèle à
lui-même — fidèle à la vérité — ce n'est pas exprimer
quelque « nature » préexistante, mais énoncer la recherche dans les mots mêmes qui la font progresser. Un

8

paradoxe apparent associe, dans cette œuvre, ignorance et vérité, fait de l'ignorance le réceptacle de la plus précieuse vérité, — à la condition que le non-savoir demeure perpétuellement inquiet, et ouvert à tous les accidents de la lumière du monde.

L'enjeu, on le devine, n'est pas seulement, pour le poète, de mettre à l'épreuve sa vie personnelle: il s'agit d'offrir au lecteur l'exemple contagieux d'une parole capable d'établir un rapport juste avec ce qu'elle désigne. N'attendrions-nous d'un poète que le don de la justesse, nous devrions lui en savoir gré comme s'il nous révélait la justice même: car la justesse sauvegarde la possibilité de la communication, elle est gage d'avenir pour le dialogue entre les hommes. On n'insisterait pas ici sur cette fonction, à vrai dire élémentaire, du langage poétique, si elle n'était aujourd'hui occultée de toutes les manières.

La bouche qui dit je est donc exposée ici dans sa parole, par sa parole. Exposée, c'est-à-dire livrée au risque, privée de toute assistance. Mais d'abord présente, et présente comme une personne. En quoi Philippe Jaccottet se défend contre la tendance, aujourd'hui assez répandue, à expulser du texte son auteur, et à faire de l'écriture une activité sans sujet qui ne trouve qu'en elle-même son énergie. Philippe Jaccottet, lui, n'oblitère pas son identité, ne s'absente pas de sa parole. Il se veut toujours solidaire de sa voix, il ne la fait pas entrer dans des rôles fabuleux, où elle se diviserait en une pluralité de figures en lutte. « Le laveur de vaisselle » (ce beau poème de L'Igno-rant [1]) ne développe pas une identité différente, mais

1. *L'Ignorant*, Gallimard, 1958, p. 66.

une allégorie transparente, une image à peine moqueuse du travail même du poète. Philippe Jaccottet, qui paraît s'interdire de céder la parole à quelque voix substitutive, ne sera donc pas tenté par la dramaturgie, par l'invention polyphonique ; il n'abandonnera pas davantage le poème à une vie autonome dans l'horizon déshabité d'un langage sans personne. Devient-il narrateur — comme dans L'Obscurité — c'est pour prendre congé d'un double de lui-même, d'un contradicteur intérieur, dont le discours désespéré n'est pas radicalement étranger.

Si le poème reste lié à celui qui le prononce, ajoutons aussitôt qu'il n'est pas régi par une personnalité tyrannique, soucieuse d'imprimer sa marque dans un style singulier et dans un langage sans précédent. C'est là peut-être ce que l'œuvre de Philippe Jaccottet nous offre de plus admirable : si elle n'a pas renoncé à la « fonction expressive » inséparable de la grande tradition lyrique, le sujet auquel elle renvoie est le plus discret qui soit, le plus soucieux d'alléger sa présence, de la rendre presque invisible. Le moi, le je, auxquels ces textes restent si constamment subordonnés, déclinent toute autorité : ils ne sont qu'interrogation, ouverture inquiète, simplicité. Ils ont peu à dire de soi : ils disent ce qui leur fait défaut, ce qu'ils poursuivent, ce qu'ils découvrent parfois, et plus souvent ce qu'ils n'ont su retenir. Si l'on prête attention à l'évolution de l'écriture poétique de Philippe Jaccottet, l'on constatera que son progrès va de pair avec un effacement et une retenue toujours plus accentués, qui augmentent les chances de la transparence : l'on verra peu à peu disparaître le détail autobiographique, qui se profilait encore dans certains des poèmes

10

de L'Effraie. *La* « *Prière entre la nuit et le jour* », *par quoi s'ouvre* L'Ignorant, *implore :* Que l'aurore [...] efface ma propre fable, et de son feu voile mon nom [1]. *Au début de* La Semaison, *nous lisons :* L'attachement à soi augmente l'opacité de la vie [2]. *Et tout se passe comme si l'accroissement de lumière, passionnément désiré, était la récompense d'une ascèse où la conscience réduit à presque rien sa propre présence :*

L'effacement soit ma façon de resplendir [3].

Qu'on ne prenne cependant pas cet oubli de soi pour un congé donné à toute activité volontaire de la conscience, et pour un vœu d'anonymat absolu. Le vers que nous venons de citer n'expulse pas le moi. Humblement voué à l'effacement, le sujet personnel persiste, aux aguets, mais désormais désencombré de sa propre histoire, plus spacieusement ouvert aux apparences du monde, plus apte à « parler avec la voix du jour [4] ». *Libérée du souci de soi, la conscience n'en est que plus disponible pour s'offrir à un plus juste rapport avec ce qui, au-dehors, lui importe ; avec la grande scène à laquelle nous sommes quotidiennement assignés ; avec les éléments matériels que les présocratiques disaient divins : la terre, l'espace, l'air, la lumière, le vent, le temps. A aucun moment la parole de Philippe Jaccottet ne se démet de son devoir de s'éprouver, de chercher le* « confortement » *qui lui est nécessaire, de faire le point de son cheminement. Parole que le*

1. P. 51.
2. *La Semaison*, Gallimard, 1984, p. 11.
3. P. 76.
4. P. 68.

11

désordre et l'égarement ne gagnent pas, et qui, par-dessus tout, face à ce qui lui est annoncé du monde, sauvegarde un pouvoir de réponse, une aptitude à dire où elle en est, fût-ce pour confesser son dénuement et sa perplexité. Parole qui renonce à l'orgueil de l'autonomie, mais qui, dans le peu dont elle demeure sûre, reste pleinement maîtresse de son mouvement. Un titre comme Leçons le dit bien : Philippe Jaccottet, devant la réalité des choses (et c'est ici la réalité d'une agonie) se sent astreint à une lecture exacte, à un déchiffrement : l'apprentissage, par un sens supplémentaire du mot leçon, devient l'essor du chant, grande « leçon de ténèbres ». Comment le moi pourrait-il accepter de s'annuler, comment la présence la plus sensible ne serait-elle pas requise, puisqu'il faut rassembler toutes les énergies de l'attention, pour relever le texte authentique offert à la lecture (à la transcription)? Comment d'autre part le poète pourrait-il s'interposer lui-même, puisque ce qui lui est le plus précieux, c'est de recueillir dans son intégrité le message tout ensemble offert et enveloppé par les apparences?

Si le poète s'efface, si le poème ne reçoit pas le statut d'objet autonome et plein, ne voit-on pas se creuser une sorte de vide? Oui, mais c'est la place de l'autre, de ce que le poème vise sans l'atteindre, de ce qu'il affronte ou désire sans pouvoir le capturer. A travers ce qu'il nomme, le poète désigne ce qui ne se laisse pas nommer. La limitation d'être que s'impose le poète, qu'il impose au poème, correspond à l'être immense auquel il a résolu de faire face, et vers lequel la voix et le regard jettent les fines arches d'un pont interrompu. Ce qui peut encore se dire va pourtant très loin : c'est une incursion merveilleuse, qui franchit une partie de l'intervalle. Mais ce n'en est toujours qu'une partie, et le seul espoir du poète est de recevoir, dans les mots qu'il a le pouvoir de prononcer, un reflet de ce qui ne se laisse pas atteindre et maîtriser : lumière, mort ou danger.

C'est dire que le poème, alors même qu'il ne prétend nullement se suffire à lui-même, s'astreint à ne rien laisser échapper de ce qui est à portée de voix. D'où le tracé si ferme du vers, l'alliance de netteté et de souplesse dans la syntaxe, la façon si émouvante dont la passion personnelle, à la fois ambitieuse et humble, se développe à travers l'impersonnalité d'une diction pure. Car Jaccottet, visant très haut, a résolu de partir de plus bas. La parfaite lisibilité de l'écriture de Jaccottet, ses reprises pour dire mieux (surtout dans ses textes en prose), ses retouches simplificatrices, m'apparaissent tout ensemble comme l'indice de son point de départ dans la vie commune, et comme la confirmation de son amour professé de la lumière : oui, il l'aime assez pour vouloir qu'elle circule dans les mots qu'il trace, et pour veiller à n'écrire aucune ligne qui ne soit pour le lecteur un chemin de clarté, quand bien même il serait parlé de la nuit et de l'ombre. Le choix des vocables communs, la retenue dans l'essor métaphorique, le respect des connexions « naturelles » et du phrasé régulier de la langue, capables de tant de variations neuves sous des doigts sensibles : voilà ce qui, dans chaque texte de Jaccottet, nous fait aussitôt participants, sans que nous ayons été directement apostrophés ou provoqués. Nulle barrière interposée au niveau de la perception du texte, nous sommes admis, accueillis, conduits dans un air cristallin. La difficulté n'est pas dans l'abord du poème, dans ses approches : *elle est mieux placée, — dans la région des fins là où la question du poète rejoint la question que chacun de nous sent s'éveiller dans les lointains de son propre destin. Ainsi notre regard peut-il escorter le poème ; il peut, avec lui, librement plonger, faire sa trouée dans l'espace et, au plus profond, rencontrer la limite où s'avivent conjointement le sentiment de l'intimité gagnée, et le regret de ne pas suffire à la tâche spirituelle. La clarté, chez Philippe Jaccottet, n'est jamais une facilité : elle est un risque supplémentaire, elle supprime tous les faux écrans, pour nous amener, au grand jour, devant les obstacles derniers, devant l'adversité ultime ou première, que la plus grande lumière mêle encore à son éblouissement.*

*

La création poétique, chez Philippe Jaccottet, est escortée par une œuvre considérable de traducteur, par des livres de critique (L'Entretien des Muses, Gustave Roud, Rainer-Maria Rilke), *par des ouvrages en prose* (La Promenade sous les arbres, Éléments d'un songe, Paysages avec figures absentes), *dont certains sont de caractère narratif* (L'Obscurité), *ou discrètement mêlés de poésie* (La Semaison). *Abandonnons tout ordre chronologique, pour ne considérer que le paysage global que ces livres nous offrent : la poésie en est le couronnement, la crête supérieure. Nous voyons monter, comme à travers des étagements successifs, un chemin patient qui se dirige vers la possibilité du poème. L'on se défend mal de comparer ce parcours à une sorte de quête initiatique, dont la récompense ne sera pas quelque objet octroyé,*

14

quelque enseignement révélé, mais l'éclosion d'un pouvoir intérieur, toujours plus libre et plus pur, toujours plus exposé aussi, et dont rien n'assure la sauvegarde et la durée. Si je parle ici de pouvoir, j'entends désigner aussi bien l'acuité perceptive, l'aptitude à l'accueil et à la blessure, que la puissance active tournée vers la matière du langage et vers la maîtrise du juste rapport des mots.

Sans doute l'expérience du traducteur met-elle déjà en exercice ces vertus. Qu'est-ce que traduire, sinon se faire accueil, n'être d'abord rien qu'une oreille attentive à une voix étrangère, puis donner à cette voix, avec les ressources de notre langue, un corps en qui survive l'inflexion première? Toute traduction vraiment accomplie instaure une transparence, invente un nouveau langage capable de véhiculer un sens antécédent : ainsi en va-t-il de Musil, d'Ungaretti, de Novalis, de Hölderlin, de Rilke, lorsque Philippe Jaccottet les rapproche de nous. L'œuvre ainsi accomplie est une médiation inventive.

J'en dirais autant des textes « critiques », à ceci près que l'accueil, pour fervent qu'il soit, se double toujours d'une réponse : la critique de Philippe Jaccottet a la ferme structure d'un dialogue. Rien ne lui importe autant que la possibilité de la participation heureuse, de l'accord sans réserve, de la lecture à l'unisson. Mais cet unisson n'est possible que lorsque s'offre le plus pur. L'exigence est placée très haut. Jaccottet sait dire, à l'occasion, avec tact et fermeté, ce qui l'empêche d'entrer pleinement dans une œuvre. N'étant pas indifférent à la beauté, il a le courage (c'est l'un des mérites de son Entretien des Muses) de marquer des différences, des préférences, bref, de juger. (Tout

15

un courant de la critique contemporaine a renoncé à le faire, mais au détriment de la fonction de choix dont ne devrait pas se départir l'activité critique.) Ce qui rend si attachants les livres que Jaccottet a consacrés à Gustave Roud, ou à Rilke, c'est qu'ils nous conduisent, au fil d'un discours où le timbre personnel est toujours présent, vers des moments d'écoute absolue, où le poème admiré — éclairé, célébré par le commentaire — respire et resplendit de sa vie propre.

A cette lecture des poètes s'enchaîne une interrogation du monde. Il n'est, pour s'en apercevoir, que d'ouvrir La Promenade sous les arbres, Éléments d'un songe, *ou encore* Paysages *avec figures absentes.* Musil, *ou* Russell, *ou encore* Hölderlin, *sont des points de départ: la pensée, une fois perçu l'appel du texte fascinant, poursuit, en pleine indépendance, la recherche des preuves, sur des chemins où elle s'avance seule, sans secours, sans guide, sans autre critère que son fragile rapport aux choses. Et bientôt il ne s'agit plus seulement de répondre au texte aimé, mais d'en prendre un congé justifié, de regarder alentour, d'engager avec le réel un débat dont l'enjeu est le plus haut qui soit. Le regard se porte alors vers le monde qui se tient au-devant de lui. La réflexion à la première personne, qui prend ici sa source, n'est pas un monologue clos, ni un discours régi par les contraintes de la logique. Le mouvement reste celui d'un dialogue; mais c'est un dialogue intériorisé, et, si « fluide » et mélodieuse qu'en soit l'élocution, un inapaisement toujours en haleine empêche de rien tenir pour acquis. Car entre un terme et son opposé, entre le spectacle extérieur et la méditation intérieure, puis, au sein de*

celle-ci, entre la parole de l'un *et celle de* l'autre, *du doute et de son contradicteur, jamais ne cesse le mouvement d'un débat inquiet, d'une insatisfaction tenace, si ce n'est dans la pause ou la trouée miraculeuse, où (à la faveur d'une extrême attention ou peut-être d'une souveraine distraction) soudain la cime est seule en vue, la lumière seule à parler : le temps fuyant d'un poème... Déjà, de surcroît, le chemin vers la poésie — parcours sinueux, libre, hésitant, jalonné de signes annonciateurs — s'est lui-même transmué en poésie, par la vertu de l'extrême justesse de l'énoncé, par la grâce de l'* « *inflexion de voix* » *interrogeant le monde. Ainsi le projet, ou l'espoir même du chant se fait chant. L'approche, le désir du poème prend figure de poème, fût-ce dans ce style retenu de la note :*
Rêve d'écrire un poème qui serait aussi cristallin et aussi vivant qu'une œuvre musicale, enchantement pur, mais non froid, regret de n'être pas musicien, de n'avoir ni leur science, ni leur liberté. Une musique de paroles communes, rehaussée peut-être ici et là d'une appoggiature, d'un trille limpide, un pur et tranquille délice pour le cœur, avec juste ce qu'il faut de mélancolie, à cause de la fragilité de tout. De plus en plus je m'assure qu'il n'est pas de plus beau don à faire, si on en a les moyens, que cette musique-là, déchirante non par ce qu'elle exprime, mais par sa beauté seule [1].

Brève est la trouée, éphémère est la plénitude aérée du poème. Après la longue approche, la vision nous est offerte fugitivement, mais après la vision, voici de nouveau la séparation et l'incertitude sur ce qui a

1. *La Semaison,* p. 17.

été aperçu (ou seulement entrevu). Or, pouvons-nous aspirer à plus? Philippe Jaccottet ne le croit pas. Se prétendre possesseur de la certitude, se vouloir un « habitant de la vraie vie [1] », demander que l'étincellement de l'amour absolu ne tarisse pas : voilà sans doute, aux yeux de Jaccottet, la faute capitale, celle qui est destinée à être le plus durement punie. Il est remarquable que trois des ouvrages de prose de Philippe Jaccottet prennent pour thème initial cette présomption possessive : et L'Ignorant *débute par une « Histoire de l'avare », qui dénonce le souci de « ces biens à ménager pour on ne sait quel temps [2] ». S'il évoque, dans* La Promenade sous les arbres, *la visée mystique de George William Russell (A. E.), s'il retrace au début d'*Éléments d'un songe, *le rêve musilien d'un retour au paradis, s'il nous fait entendre, dans l'admirable récit parabolique de* L'Obscurité, *la plainte désespérée d'un « maître » déchu qui s'était jugé « victorieux d'avance », — constamment, Philippe Jaccottet se voit contraint de prendre acte du désastre sans nom réservé à la volonté orgueilleuse, à ceux qui prétendent saisir, conserver, retenir la vérité entre leurs mains, donner un nom à « l'insaisissable », dépasser la région des apparences pour pénétrer dans le royaume des essences inaltérables. Et s'il s'acharne à dénoncer cette erreur, nous comprenons bien que ce n'est pas sans en avoir admiré, et peut-être parfois partagé la témérité. Mais, pour rester véridique, il faut reconnaître que* « la lumière n'est pas donnée à qui la cherche [3] »,

---

1. *L'Obscurité*, Gallimard, 1961, p. 166.
2. *L'Ignorant*, Gallimard, 1958, p. 13.
3. *L'Obscurité*, p. 151.

que la hauteur ne peut être notre séjour permanent, que l'ombre ne cesse de gagner sur nous. Icare tombe et disparaît sous les flots, insignifiant accident du paysage : nous voyons alors la terre, le laboureur et ses lents travaux, le sillon commencé, le cercle des saisons, un monde d'apparences changeantes. Un monde d'où la beauté n'est certes pas absente, mais où les puissances négatives, la mort, la misère, la « bave » ne cessent de nous menacer, même si l'on s'écarte de ces métropoles de sable et de douleur que sont les cités : ce monde difficilement habitable est notre seul partage, et nous ne gagnerions rien à nous en détourner.

Que reste-t-il? *La question se renouvelle, de proche en proche, avec insistance, dans l'œuvre de Jaccottet : c'est l'interrogation de celui qui a constaté, irrévocablement, l'interdit opposé aux prétentions de l'orgueil.* Que reste-t-il? Sinon cette façon de poser la question qui se nomme la poésie et qui est vraisemblablement la possibilité de tirer de la limite même un chant, de prendre en quelque sorte appui sur l'abîme pour se maintenir au-dessus, sinon le franchir (qui serait le supprimer); une manière de parler du monde qui n'explique pas le monde, car ce serait le figer et l'anéantir, mais qui le montre tout nourri de son refus de répondre, vivant parce qu'impénétrable, merveilleux parce que terrible [1]... *Il subsiste donc une grande pauvreté, un parfait dénuement, un risque immense, et nulle promesse pour les apaiser, ne fût-ce qu'en image.* Cent fois je l'aurai dit : ce qui me reste est presque rien [2]. *Mais Jaccottet ajoute aussitôt :*

1. *Éléments d'un songe,* Gallimard, 1961, p. 153.
2. *La Semaison,* p. 57.

Mais c'est comme une très petite porte par laquelle il faut passer, au delà de laquelle rien ne prouve que l'espace ne soit pas aussi grand qu'on l'a rêvé. Il s'agit seulement de passer par la porte, et qu'elle ne se referme pas définitivement. *N'être qu'un ignorant, ne posséder qu'une parole fragile, sans garantie, se trouver comme adossé aux ténèbres et au rien : telle est la situation dont il faut constamment repartir. Repartir, recommencer : cela veut dire que Jaccottet ne consent pas à l'immobilité, ne s'accommode pas de l'échec. Si le « vrai lieu » n'est pas accessible, la faute inverse est de s'obstiner à séjourner dans la nuit, de s'y enfoncer désespérément, comme le fait le maître déchu, dans* L'Obscurité. *Quand Jaccottet écrit :* A partir du rien, telle est ma loi [1] (*énoncé profondément révélateur, que Jean-Pierre Richard a placé en tête de sa belle étude [2]), nous y trouvons l'aveu d'une origine obligée — le rien — mais aussi le signe d'un départ. Départ sur les sentiers de la terre, sans espoir de conquête, sans but assuré. Mais la parole qui s'élève, issue de la nuit et du rien, porte en elle la chance d'un passage à la lumière. Quelle lumière? Non pas celle de l'au-delà. Celle de chaque aube de ce monde, porteuse elle-même du risque de son propre déclin. L'on comprend alors par quelle nécessité Jaccottet est tout ensemble l'un des plus merveilleux poètes du lever du jour, et celui qui peut écrire :* L'incertitude est le moteur, l'ombre est la source [3]... En moi, par ma

1. *La Semaison*, p. 56.
2. Jean-Pierre Richard : *Onze études sur la poésie moderne*, Le Seuil, 1964. « Philippe Jaccottet », p. 237-276.
3. *La Semaison*, p. 23.

bouche, n'a jamais parlé que la mort. Toute poésie est la voix donnée à la mort [1].

> Encore soutenu par l'interminable ténèbre
> et poussé dans le dos par la brutale nuit
> à bout de forces dans cette aube de novembre
> je vois le soc du froid qui s'avance et flamboie
> et en arrière dans une lumière accrue
> l'ombre laboure [2].

L'on comprend aussi quelle intime relation unit, d'une part, les divers passages visibles, celui des saisons, celui des astres, le passage de la nuit au jour, et, d'autre part, la parole poétique, définie elle-même par Jaccottet comme un passage du souffle. Citons-le encore une fois, puisqu'il énonce sa pensée avec la plus cristalline clarté : Parole-passage, ouverture laissée au souffle. Aussi aimons-nous les vallées, les fleuves, les chemins, l'air. Ils nous donnent une indication sur le souffle. Rien n'est achevé. Il faut faire sentir cette exhalation, et que le monde n'est que la forme passagère du souffle [3].

Ainsi, le paysage si constamment présent dans la prose et la poésie de Jaccottet prend un sens emblématique, qui ne s'épuise pas dans la description : cette hauteur lumineuse, cet édifice d'espace et de vent, peuplé d'oiseaux, c'est bien, certes, une figure du monde visible ; toutefois la parole en son passage peut devenir cela aussi : lumière, souffle, vol et cri limpide. Le poème est conjointement un essor de la parole

1. *La Semaison*, p. 29.
2. *Ibid.*, p. 26.
3. *Ibid.*, p. 43.

vivante et un déploiement d'espace offert au regard. Cette unité s'accomplit dans l'acte du passage, c'est-à-dire dans le règne des apparences transitoires, dans le monde commun où la loi de la mort et de la limite ne peut être éludée. Nous sommes voués au limité: la dure leçon du châtiment des orgueilleux ne peut être oubliée. Non sans toutefois que persiste, vivace, le sentiment d'un illimité qui donne sens à notre limite, — d'un illimité dont nous ne pouvons rien dire, mais sans lequel non plus aucun de nos vocables limités ne pourrait prendre forme. L'illimité, c'est peut-être, selon Philippe Jaccottet, le seul nom que nous puissions réserver à ce qui fut précédemment nommé Dieu. Et si la poésie n'aspire plus à sa possession, elle ne s'en détourne pas non plus. Toute l'activité poétique se voue à concilier, ou du moins à rapprocher, la limite et l'illimité, le clair et l'obscur, le souffle et la forme [...]. Il se peut que la beauté naisse quand la limite et l'illimité deviennent visibles en même temps, c'est-à-dire quand on voit des formes tout en devinant qu'elles ne disent pas tout, qu'elles ne sont pas réduites à elles-mêmes, qu'elles laissent à l'insaisissable sa part [1].

Jean Starobinski.

1. *La Semaison*, p. 40.

L'EFFRAIE

1946-1950

La nuit est une grande cité endormie
où le vent souffle... Il est venu de loin jusqu'à
l'asile de ce lit. C'est la minuit de juin.
Tu dors, on m'a mené sur ces bords infinis,
le vent secoue le noisetier. Vient cet appel
qui se rapproche et se retire, on jurerait
une lueur fuyant à travers bois, ou bien
les ombres qui tournoient, dit-on, dans les enfers.
(Cet appel dans la nuit d'été, combien de choses
j'en pourrais dire, et de tes yeux...) Mais ce n'est que
l'oiseau nommé l'effraie, qui nous appelle au fond
de ces bois de banlieue. Et déjà notre odeur
est celle de la pourriture au petit jour,
déjà sous notre peau si chaude perce l'os,
tandis que sombrent les étoiles au coin des rues.

Tu es ici, l'oiseau du vent tournoie,
toi ma douceur, ma blessure, mon bien.
De vieilles tours de lumière se noient
et la tendresse entrouvre ses chemins.

La terre est maintenant notre patrie.
Nous avançons entre l'herbe et les eaux,
de ce lavoir où nos baisers scintillent
à cet espace où foudroiera la faux.

« Où sommes-nous? » Perdus dans le cœur de
la paix. Ici, plus rien ne parle que,
sous notre peau, sous l'écorce et la boue,

avec sa force de taureau, le sang
fuyant qui nous emmêle, et nous secoue
comme ces cloches mûres sur les champs.

Comme je suis un étranger dans notre vie,
je ne parle qu'à toi avec d'étranges mots,
parce que tu seras peut-être ma patrie,
mon printemps, nid de paille et de pluie aux rameaux,

ma ruche d'eau qui tremble à la pointe du jour,
ma naissante Douceur-dans-la-nuit... (Mais c'est
   l'heure
que les corps heureux s'enfouissent dans leur amour
avec des cris de joie, et une fille pleure

dans la cour froide. Et toi? Tu n'es pas dans la ville,
tu ne marches pas à la rencontre des nuits,
c'est l'heure où seul avec ces paroles faciles

je me souviens d'une bouche réelle...) Ô fruits
mûrs, source des chemins dorés, jardins de lierre,
je ne parle qu'à toi, mon absente, ma terre...

Je sais maintenant que je ne possède rien,
pas même ce bel or qui est feuilles pourries,
encore moins ces jours volant d'hier à demain
à grands coups d'ailes vers une heureuse patrie.

Elle fut avec eux, l'émigrante fanée,
la beauté faible, avec ses secrets décevants,
vêtue de brume. On l'aura sans doute emmenée
ailleurs, par ces forêts pluvieuses. Comme avant,

je me retrouve au seuil d'un hiver irréel
où chante le bouvreuil obstiné, seul appel
qui ne cesse pas, comme le lierre. Mais qui peut dire

quel est son sens? Je vois ma santé se réduire,
pareille à ce feu bref au-devant du brouillard
qu'un vent glacial avive, efface... Il se fait tard.

Comme un homme qui se plairait dans la tristesse
plutôt que de changer de ville ou bien d'errer,
je m'entête à fouiller ces décombres, ces caisses,
ces gravats sous lesquels le corps est enterré

que formèrent nos corps quand ils étaient serrés
sur un lit de passage avec des cris de liesse.
(C'est dans ce temps que notre ciel s'est éclairé,
d'un astre sombre, et que j'eus bientôt mis en
   pièces...)

Ah! lâcher pour de bon ferraille, plâtre et planches!
Non, comme un chien je flaire un parfum répandu
et gratte si profond qu'enfin j'aurai mon dû :

de tomber à mon tour en poussière bien blanche
et de n'être plus rien qu'ossements vermoulus
pour avoir trop cherché ce que j'avais perdu.

Sois tranquille, cela viendra! Tu te rapproches,
tu brûles! Car le mot qui sera à la fin
du poème, plus que le premier sera proche
de ta mort, qui ne s'arrête pas en chemin.

Ne crois pas qu'elle aille s'endormir sous des branches
ou reprendre souffle pendant que tu écris.
Même quand tu bois à la bouche qui étanche
la pire soif, la douce bouche avec ses cris

doux, même quand tu serres avec force le nœud
de vos quatre bras pour être bien immobiles
dans la brûlante obscurité de vos cheveux,

elle vient, Dieu sait par quels détours, vers vous deux,
de très loin ou déjà tout près, mais sois tranquille,
elle vient : d'un à l'autre mot tu es plus vieux.

PORTOVENERE

La mer est de nouveau obscure. Tu comprends,
c'est la dernière nuit. Mais qui vais-je appelant?
Hors l'écho, je ne parle à personne, à personne.
Où s'écroulent les rocs, la mer est noire, et tonne
dans sa cloche de pluie. Une chauve-souris
cogne aux barreaux de l'air d'un vol comme surpris,
tous ces jours sont perdus, déchirés par ses ailes
noires, la majesté de ces eaux trop fidèles
me laisse froid, puisque je ne parle toujours
ni à toi, ni à rien. Qu'ils sombrent, ces « beaux jours »!
Je pars, je continue à vieillir, peu m'importe,
sur qui s'en va la mer saura claquer la porte.

LES NOUVELLES DU SOIR

A l'heure où la lumière enfouit son visage
dans notre cou, on crie les nouvelles du soir,
on nous écorche. L'air est doux. Gens de passage
dans cette ville, on pourra juste un peu s'asseoir
au bord du fleuve où bouge un arbre à peine vert,
après avoir mangé en hâte; aurai-je même
le temps de faire ce voyage avant l'hiver,
de t'embrasser avant de partir? Si tu m'aimes,
retiens-moi, le temps de reprendre souffle, au moins,
juste pour ce printemps, qu'on nous laisse tranquilles
longer la tremblante paix du fleuve, très loin,
jusqu'où s'allument les fabriques immobiles...
Mais pas moyen. Il ne faut pas que l'étranger·
qui marche se retourne, ou il serait changé
en statue : on ne peut qu'avancer. Et les villes
qui sont encor debout brûleront. Une chance
que j'aie au moins visité Rome, l'an passé,
que nous nous soyons vite aimés, avant l'absence,
regardés encore une fois, vite embrassés,
avant qu'on crie « Le Monde » à notre dernier monde
ou « Ce Soir » au dernier beau soir qui nous confonde...

Tu partiras. Déjà ton corps est moins réel
que le courant qui l'use, et ces fumées au ciel
ont plus de racines que nous. C'est inutile
de nous forcer. Regarde l'eau, comme elle file
par la faille entre nos deux ombres. C'est la fin,
qui nous passe le goût de jouer au plus fin.

INTÉRIEUR

Il y a longtemps que je cherche à vivre ici,
dans cette chambre que je fais semblant d'aimer,
la table, les objets sans soucis, la fenêtre
ouvrant au bout de chaque nuit d'autres verdures,
et le cœur du merle bat dans le lierre sombre,
partout des lueurs achèvent l'ombre vieillie.

J'accepte moi aussi de croire qu'il fait doux,
que je suis chez moi, que la journée sera bonne.
Il y a juste, au pied du lit, cette araignée
(à cause du jardin), je ne l'ai pas assez
piétinée, on dirait qu'elle travaille encore
au piège qui attend mon fragile fantôme...

AGRIGENTE,

1er janvier

Un peu plus haut que cette place aux rares cibles,
nous cherchons l'escalier d'où la mer est visible,
ou du moins le serait si le temps était clair.
— Nous avons voyagé pour la douceur de l'air,
pour l'oubli de la mort, pour la Toison dorée...
Malgré le chemin fait, nous restons à l'orée,
et ce n'est pas ces mots hâtifs qu'il nous faudrait,
ni cet oubli, lui-même oublié tôt après... —
Il commence à pleuvoir. On a changé d'année.
Tu vois bien qu'aux regrets notre âme est
    condamnée :
il faut, même en Sicile, accepter sur nos mains
les mille épines de la pluie... jusqu'à demain.

NINFA

En ce jardin la voix des eaux ne tarit pas,
est-ce une blanchisseuse ou les nymphes d'en bas,
ma voix n'arrive pas à se mêler à celles
qui me frôlent, me fuient et passent infidèles,
il ne me reste que ces roses s'effeuillant
dans l'herbe où toute voix se tait avec le temps.

— Les nymphes, les ruisseaux, images où se
    complaire!
Mais qui cherche autre chose ici qu'une voix claire,
une fille cachée? Je n'ai rien inventé :
voici le chien qui dort, les oiseaux rassemblés,
les ouvriers courbés devant les saules frêles
brûlant comme des feux; la servante les hèle
au bout de la journée... La leur et ma jeunesse
s'usent comme un roseau, à la même vitesse,
pour nous tous mars approche...
                                                    Et je ne rêvais pas
quand j'entendis, après si longtemps, cette voix
me revenir du fond de ce jardin, l'unique,
la plus douce dans ce concert...

« — Ô Dominique!
Jamais je n'aurais cru te retrouver ici,
parmi ces gens... — Tais-toi. Je ne suis plus ceci
que je fus... »

Je la vis saluer avec grâce
nos hôtes, puis s'en aller comme les eaux s'effacent,
quittant le parc, alors que le soleil se perd,
et c'est déjà vers les cinq heures, dans l'hiver.

LA TRAVERSÉE

Ce n'est pas la Beauté que j'ai trouvée ici,
ayant loué cette cabine de seconde,
débarqué à Palerme, oublié mes soucis,
mais celle qui s'enfuit, la beauté de ce monde.

L'autre, je l'ai peut-être vue en ton visage,
mais notre cours aura ressemblé à ces eaux
qui tracent leurs grands hiéroglyphes sur les plages
au sud de Naples, et que l'été boit aussitôt,

signes légers que l'on récrit sur les portières...
Elle n'est pas donnée à nous qui la forçons,
pareils à des aventuriers sur les frontières,
à des avares qui ont peur de la rançon.

Elle n'est pas non plus donnée aux lieux étranges,
mais peut-être à l'attente, au silence discret,
à celui qui est oublié dans les louanges
et simplement accroît son amour en secret.

LA SEMAISON

I

Nous voudrions garder la pureté,
le mal eût-il plus de réalité.

Nous voudrions ne pas porter de haine,
bien que l'orage étourdisse les graines.

Qui sait combien les graines sont légères
redouterait d'adorer le tonnerre.

II

Je suis la ligne indécise des arbres
où les pigeons de l'air battent des ailes :
toi qu'on caresse où naissent les cheveux...

Mais sous les doigts déçus par la distance,
le soleil doux se casse comme paille.

III

La terre ici montre la corde. Mais qu'il pleuve
un seul jour, on devine à son humidité
un trouble dont on sait qu'elle reviendra neuve.
La mort, pour un instant, a cet air de fraîcheur
de la fleur perce-neige...

IV

Le jour se carre en moi comme un taureau :
on serait près de croire qu'il est fort...

Si l'on pouvait lasser le torero
et retarder un peu la mise à mort !

V

L'hiver, l'arbre se recueille.

Puis le rire un jour bourdonne
et le murmure des feuilles,
ornement de nos jardins.

Pour qui n'aime plus personne,
La vie est toujours plus loin.

VI

Ô premiers jours de printemps
jouant dans la cour d'école
entre deux classes de vent!

VII

Je m'impatiente et je suis soucieux :
qui sait les plaies et qui sait les trésors
qu'apporte une autre vie? Un printemps peut
jaillir en joie ou souffler vers la mort.
— Voici le merle. Une fille timide
sort de chez soi. L'aube est dans l'herbe humide.

VIII

A très grande distance,
je vois la rue avec ses arbres, ses maisons,
et le vent frais pour la saison
qui souvent change de sens.
Une charrette passe avec des meubles blancs
dans le sous-bois des ombres.
Les jours s'en vont devant,
ce qui me reste, en peu de temps je le dénombre.

IX

Les mille insectes de la pluie ont travaillé
toute la nuit; les arbres sont fleuris de gouttes,
l'averse fait le bruit d'un fouet lointain.
Le ciel est pourtant resté clair; dans les jardins,
la cloche des outils sonne matines.

X

Cet air qu'on ne voit pas
porte un oiseau lointain
et les graines sans poids
dont germera demain
la lisière des bois.

Oh! le cours de la vie
entêté vers en bas!

XI

(La Seine le 14 mars 1947)

Le fleuve craquelé se trouble. Les eaux montent
et lavent les pavés des berges. Car le vent
comme une barque sombre et haute est descendu
de l'Océan, chargé d'un fret de graines jaunes.

42

Il flotte une odeur d'eau, lointaine et fade... On
    tremble,
rien que d'avoir surpris des paupières qui s'ouvrent.

(Il y avait un canal miroitant qu'on suivait,
le canal de l'usine, on jetait une fleur
à la source, pour la retrouver dans la ville...)
Souvenir de l'enfance. Les eaux jamais les mêmes,
ni les jours : celui qui prendrait l'eau dans ses mains...

Quelqu'un allume un feu de branches sur la rive.

XII

Tout ce vert ne s'amasse pas, mais tremble et brille,
comme on voit le rideau ruisselant des fontaines
sensible au moindre courant d'air; et tout en haut
de l'arbre, il semble qu'un essaim se soit posé
d'abeilles bourdonnant; paysage léger
où des oiseaux jamais visibles nous appellent,
des voix, déracinées comme des graines, et toi,
avec tes mèches retombant sur des yeux clairs.

XIII

De ce dimanche un seul moment nous a rejoints,
quand les vents avec notre fièvre sont tombés :
et sous la lampe de la rue, les hannetons

s'allument, puis s'éteignent. On dirait des lampions
lointains au fond d'un parc, peut-être pour ta fête...
Moi aussi j'avais cru en toi, et ta lumière
m'a fait brûler, puis m'a quitté. Leur coque sèche
craque en tombant dans la poussière. D'autres
    montent,
d'autres flamboient, et moi je suis resté dans
    l'ombre.

XIV

Tout m'a fait signe : les lilas pressés de vivre
et les enfants qui égaraient leurs balles dans
les parcs. Puis, des carreaux qu'on retournait tout
    près,
en dénudant racine après racine, l'odeur
de femme travaillée... L'air tissait de ces riens
une toile tremblante. Et je la déchirais,
à force d'être seul et de chercher des traces.

XV

Les lilas une fois de plus se sont ouverts
(mais ce n'est plus une assurance pour personne),
des rouges-queues fulgurent, et la voix de la bonne
quand elle parle aux chiens s'adoucit. Les abeilles
travaillent dans le poirier. Et toujours demeure,
au fond de l'air, cette vibration de machines...

LES EAUX ET LES FORÊTS

La clarté de ces bois en mars est irréelle,
tout est encor si frais qu'à peine insiste-t-elle.
Les oiseaux ne sont pas nombreux; tout juste si,
très loin, où l'aubépine éclaire les taillis,
le coucou chante. On voit scintiller des fumées
qui emportent ce qu'on brûla d'une journée,
la feuille morte sert les vivantes couronnes,
et suivant la leçon des plus mauvais chemins,
sous les ronces, on rejoint le nid de l'anémone,
claire et commune comme l'étoile du matin.

II

Quand même je saurais le réseau de mes nerfs
aussi précaire que la toile d'araignée,
je n'en louerais pas moins ces merveilles de vert,
ces colonnes, même choisies pour la cognée,

et ces chevaux de bûcherons... Ma confiance
devrait s'étendre un jour à la hache, à l'éclair,
si la beauté de mars n'est que l'obéissance
du merle et de la violette, par temps clair.

III

Le dimanche peuple les bois d'enfants qui geignent,
de femmes vieillissantes ; un garçon sur deux saigne
au genou, et l'on rentre avec des mouchoirs gris,
laissant de vieux papiers près de l'étang... Les cris
s'éloignent avec la lumière. Sous les charmes,
une fille retend sa jupe à chaque alarme,
l'air harassé. Toute douceur, celle de l'air
ou de l'amour, a la cruauté pour revers,
tout beau dimanche a sa rançon, comme les fêtes
ces taches sur les tables où le jour nous inquiète.

IV

Toute autre inquiétude est encore futile,
je ne marcherai pas longtemps dans ces forêts,
et la parole n'est ni plus ni moins utile
que ces chatons de saule en terrain de marais :

peu importe qu'ils tombent en poussière s'ils brillent,
bien d'autres marcheront dans ces bois qui mourront,
peu importe que la beauté tombe pourrie,
puisqu'elle semble en la totale soumission.

L'IGNORANT

1952-1956

pour A.-M.

PRIÈRE ENTRE LA NUIT ET LE JOUR

A l'heure vague où les fantômes en grand nombre
se pressent contre les fenêtres, ameutés
par une hésitation entre le jour et l'ombre
et menaçant de leurs murmures la clarté,

un homme prie : à ses côtés est étendue
la très belle guerrière désarmée et nue ;
non loin repose l'héritier de leurs batailles,
il tient le Temps serré dans sa main comme paille.

« Une prière dite dans la crainte, difficile
à exaucer, surtout sans secours du dehors ;
une prière dans l'ébranlement des villes,
dans la fin de la guerre, dans l'afflux des morts :

pour que l'aurore, avec sa tendresse tenace,
pour que l'entrée de la lumière au ras des monts,
comme elle éloigne la lune légère, efface
ma propre fable, et de son feu voile mon nom. »

NOUVELLES NOTES
POUR LA SEMAISON

Maintenant la terre s'est dévoilée
et la lumière du soleil en tournant comme un phare
fait les arbres tantôt roses tantôt noirs.
Puis elle écrit sur l'herbe avec une encre légère.

*

Un soir, le ciel resta plus longtemps clair
sur les grands jardins verts et noirs
couleur des pluies de la veille.
Les globes luirent trop tôt.
Alors dans le nid des branches
apparut le chant du merle
et ce fut comme si l'huile de la lumière
brûlait doucement dans cette faible lampe noire,
ou la voix même de la lune
venue prédire la nuit de mars aux passagers...

NOTES POUR LE PETIT JOUR

Des femmes crient dans la poussière. Car chanter,
comment chanterait-on sous ces pierres friables?
La ville avec ses bruits, ses grottes, sa clarté,
n'est qu'un des noms pour ces grands empires de sable
dont le dernier commerce est d'ombre et de lumière.
Mais toujours, sur ces gouffres d'eau, luit l'éphémère...

Et c'est la chose que je voudrais maintenant
pouvoir dire, comme si, malgré les apparences,
il m'importait qu'elle fût dite, négligeant
toute beauté et toute gloire : qui avance
dans la poussière n'a que son souffle pour tout bien,
pour toute force qu'un langage peu certain.

★

Toiles, bois, pierres humides,
pays poursuivi par l'eau,
comme la femme nocturne,
la beauté pluvieuse et chaude.

*

Forêt marine à l'aurore,
touffue et trempée de vent,
j'entre et je suffoque en toi.

*

Paresseuse comme l'huile,
mais l'huile devient lueur,
brûle, murmure, jubile
dans la veilleuse en sueur.

*

Où serez-vous quand agira la mort,
lune aussi belle qu'un soleil
qui rouliez vers le bois marin,
oiseaux levés tous ensemble,
beaux ouvriers de l'aurore?
Et toi, où seras-tu qu'ils éveillaient à peine,
à nulle chose de ce monde comparable
sinon précisément à cette clarté grandissante,
où seras-tu, petit jour?

Pas seulement alors, mais déjà maintenant
vous n'êtes plus que cette voix trop faible,
que ces paroles toujours vagues.

Ô l'étincelant amour!
Il n'est bientôt plus que l'appel
que se lancent les séparés.
(Ainsi toute réalité
dans le cœur où la mort s'affaire
devient cri, murmure ou larme.)

★

Alouette, étoile en plein jour,
avant qu'il ne soit trop tard,
avant que j'en aie fini
avec ces choses très claires,
puissiez-vous me conduire encore
jusqu'au seuil d'une telle nuit.

AU PETIT JOUR

I

La nuit n'est pas ce que l'on croit, revers du feu,
chute du jour et négation de la lumière,
mais subterfuge fait pour nous ouvrir les yeux
sur ce qui reste irrévélé tant qu'on l'éclaire.

Les zélés serviteurs du visible éloignés,
sous le feuillage des ténèbres est établie
la demeure de la violette, le dernier
refuge de celui qui vieillit sans patrie...

II

Comme l'huile qui dort dans la lampe et bientôt
tout entière se change en lueur et respire
sous la lune emportée par le vol des oiseaux,
tu murmures et tu brûles. (Mais comment dire
cette chose qui est trop pure pour la voix?)
Tu es le feu naissant sur les froides rivières,
l'alouette jaillie du champ... Je vois en toi
s'ouvrir et s'entêter la beauté de la terre.

III

Je te parle, mon petit jour. Mais tout cela
ne serait-il qu'un vol de paroles dans l'air?
Nomade est la lumière. Celle qu'on embrassa
devient celle qui fut embrassée, et se perd.
Qu'une dernière fois dans la voix qui l'implore
elle se lève donc et rayonne, l'aurore.

LE SECRET

Fragile est le trésor des oiseaux. Toutefois,
puisse-t-il scintiller toujours dans la lumière!

Telle humide forêt peut-être en a la garde,
il m'a semblé qu'un vent de mer nous y guidait,
nous le voyions de dos devant nous comme une
    ombre...
Cependant, même à qui chemine à mon côté,
même à ce chant je ne dirai ce qu'on devine
dans l'amoureuse nuit. Ne faut-il pas plutôt
laisser monter aux murs le silencieux lierre
de peur qu'un mot de trop ne sépare nos bouches
et que le monde merveilleux ne tombe en ruine?

Ce qui change même la mort en ligne blanche
au petit jour, l'oiseau le dit à qui l'écoute.

LA PATIENCE

Dans les cartes à jouer abattues sous la lampe
comme les papillons écroulés poussiéreux,
à travers le tapis de table et la fumée,
je vois ce qu'il vaut mieux ne pas voir affleurer
lorsque le tintement de l'heure dans les verres
annonce une nouvelle insomnie, la croissante
peur d'avoir peur dans le resserrement du temps,
l'usure du corps, l'éloignement des défenseurs.
Le vieil homme écarte les images passées
et, non sans réprimer un tremblement, regarde
la pluie glacée pousser la porte du jardin.

LA VOIX

Qui chante là quand toute voix se tait? Qui chante
avec cette voix sourde et pure un si beau chant?
Serait-ce hors de la ville, à Robinson, dans un
jardin couvert de neige? Ou est-ce là tout près,
quelqu'un qui ne se doutait pas qu'on l'écoutât?
Ne soyons pas impatients de le savoir
puisque le jour n'est pas autrement précédé
par l'invisible oiseau. Mais faisons seulement
silence. Une voix monte, et comme un vent de mars
aux bois vieillis porte leur force, elle nous vient
sans larmes, souriant plutôt devant la mort.
Qui chantait là quand notre lampe s'est éteinte?
Nul ne le sait. Mais seul peut entendre le cœur
qui ne cherche la possession ni la victoire.

L'HIVER

à Gilbert Koull.

J'ai su pourtant donner des ailes à mes paroles,
je les voyais tourner en scintillant dans l'air,
elles me conduisaient vers l'espace éclairé... ˙

Suis-je donc enfermé dans le glacial décembre
comme un vieillard sans voix, derrière la fenêtre
à chaque heure plus sombre, erre dans sa mémoire,
et s'il sourit c'est qu'il traverse une rue claire,
c'est qu'il rencontre une ombre aux yeux clos,
    maintenant
et depuis tant d'années froide comme décembre...

Cette femme très loin qui brûle sous la neige,
si je me tais, qui lui dira de luire encore,
de ne pas s'enfoncer avec les autres feux
dans l'ossuaire des forêts? Qui m'ouvrira
dans ces ténèbres le chemin de la rosée?

Mais déjà, par l'appel le plus faible touchée,
l'heure d'avant le jour se devine dans l'herbe.

L'IGNORANT

Plus je vieillis et plus je croîs en ignorance,
plus j'ai vécu, moins je possède et moins je règne.
Tout ce que j'ai, c'est un espace tour à tour
enneigé ou brillant, mais jamais habité.
Où est le donateur, le guide, le gardien?
Je me tiens dans ma chambre et d'abord je me tais
(le silence entre en serviteur mettre un peu d'ordre),
et j'attends qu'un à un les mensonges s'écartent :
que reste-t-il? que reste-t-il à ce mourant
qui l'empêche si bien de mourir? Quelle force
le fait encor parler entre ses quatre murs?
Pourrais-je le savoir, moi l'ignare et l'inquiet?
Mais je l'entends vraiment qui parle, et sa parole
pénètre avec le jour, encore que bien vague :

« Comme le feu, l'amour n'établit sa clarté
que sur la faute et la beauté des bois en cendres... »

LE TRAVAIL DU POÈTE

L'ouvrage d'un regard d'heure en heure affaibli
n'est pas plus de rêver que de former des pleurs,
mais de veiller comme un berger et d'appeler
tout ce qui risque de se perdre s'il s'endort.

★

Ainsi, contre le mur éclairé par l'été
(mais ne serait-ce pas plutôt par sa mémoire),
dans la tranquillité du jour je vous regarde,
vous qui vous éloignez toujours plus, qui fuyez,
je vous appelle, qui brillez dans l'herbe obscure
comme autrefois dans le jardin, voix ou lueurs
(nul ne le sait) liant les défunts à l'enfance...
(Est-elle morte, telle dame sous le buis,
sa lampe éteinte, son bagage dispersé?
Ou bien va-t-elle revenir de sous la terre
et moi j'irais au-devant d'elle et je dirais :
« Qu'avez-vous fait de tout ce temps qu'on n'entendait
ni votre rire ni vos pas dans la ruelle?
Fallait-il s'absenter sans personne avertir?
Ô dame! revenez maintenant parmi nous... »)

64

Dans l'ombre et l'heure d'aujourd'hui se tient cachée,
ne disant mot, cette ombre d'hier. Tel est le monde.
Nous ne le voyons pas très longtemps : juste assez
pour en garder ce qui scintille et va s'éteindre,
pour appeler encore et encore, et trembler
de ne plus voir. Ainsi s'applique l'appauvri,
comme un homme à genoux qu'on verrait s'efforcer
contre le vent de rassembler son maigre feu...

LA VEILLÉE FUNÈBRE

On ne fait pas de bruit
dans la chambre des morts :
on lève la bougie
et les voit s'éloigner.

J'élève un peu la voix
sur le seuil de la porte
et je dis quelques mots
pour éclairer leur route.

Mais ceux qui ont prié
même de sous la neige,
l'oiseau du petit jour
vient leur voix relayer.

LES GITANS

à Gérard et Madeleine Palézieux.

Il y a un feu sous les arbres :
on l'entend qui parle bas
à la nation endormie
près des portes de la ville.

Si nous marchons en silence,
âmes de peu de durée
entre les sombres demeures,
c'est de crainte que tu meures,
murmure perpétuel
de la lumière cachée.

LETTRE DU VINGT-SIX JUIN

Que les oiseaux vous parlent désormais de notre vie.
Un homme en ferait trop d'histoires
et vous ne verriez plus à travers ses paroles
qu'une chambre de voyageur, une fenêtre
où la buée des larmes voile un bois brisé de pluie...

La nuit se fait. Vous entendez les voix sous les tilleuls :
la voix humaine brille comme au-dessus de la terre
Antarès qui est tantôt rouge et tantôt vert.

★

N'écoutez plus le bruit de nos soucis,
ne pensez plus à ce qui nous arrive,
oubliez même notre nom. Écoutez-nous parler
avec la voix du jour, et laissez seulement
briller le jour. Quand nous serons défaits de toute
     crainte,
quand la mort ne sera pour nous que transparence,
quand elle sera claire comme l'air des nuits d'été

et quand nous volerons portés par la légèreté
à travers tous ces illusoires murs que le vent pousse,
vous n'entendrez plus que le bruit de la rivière
qui coule derrière la forêt; et vous ne verrez plus
qu'étinceler des yeux de nuit...

★

Lorsque nous parlerons avec la voix du rossignol...

L'INATTENDU

Je ne fais pas grand-chose contre le démon :
je travaille, et levant les yeux parfois de mon
travail, je vois la lune avant qu'il fasse clair.

Que reste-t-il ainsi qui brille d'un hiver?
A la plus petite heure du matin je sors,
la neige emplit l'espace jusqu'aux plus fins bords,
l'herbe s'incline devant ce muet salut,
là se révèle ce que nul n'espérait plus.

SUR LES PAS DE LA LUNE

M'étant penché en cette nuit à la fenêtre,
je vis que le monde était devenu léger
et qu'il n'y avait plus d'obstacles. Tout ce qui
nous retient dans le jour semblait plutôt devoir
me porter maintenant d'une ouverture à l'autre
à l'intérieur d'une demeure d'eau vers quelque chose
de très faible et de très lumineux comme l'herbe :
j'allais entrer dans l'herbe sans aucune peur,
j'allais rendre grâce à la fraîcheur de la terre,
sur les pas de la lune je dis oui et je m'en fus...

PAROLES DANS L'AIR

à Pierre Leyris.

L'air si clair dit : « Je fus un temps votre maison,
puis viendront d'autres voyageurs à votre place,
et vous qui aimiez tant ce séjour, où irez-
vous? Je vois bien de la poussière sur la terre,
mais vous me regardiez, et vos yeux paraissaient
ne pas m'être inconnus; mais vous chantiez parfois,
est-ce donc tout? Vous parliez même à demi-voix
à quelqu'un qui était souvent ensommeillé,
vous lui disiez que la lumière de la terre
était trop pure pour ne pas avoir un sens
qui échappât de quelque manière à la mort,
vous vous imaginiez avancer dans ce sens,
et cependant je ne vous entends plus : qu'avez-
vous fait? Que va penser surtout votre compagne? »

★

Elle répond à travers ses heureuses larmes :
« Il s'est changé en cette ombre qui lui plaisait. »

72

LA RAISON

Je fais en haut des grâces de la main,
j'écris des mots dans l'air à la légère,
mais en bas le bas est peut-être atteint.
Du pied mort à l'œil vif il n'y a guère,
on comprendra les distances demain.

BLESSURE VUE DE LOIN

Ah! le monde est trop beau pour ce sang mal
    enveloppé
qui toujours cherche en l'homme le moment de
    s'échapper!

Celui qui souffre, son regard le brûle et il dit non,
il n'est plus amoureux des mouvements de la lumière,
il se colle contre la terre, il ne sait plus son nom,
sa bouche qui dit non s'enfonce horriblement en terre.

En moi sont rassemblés les chemins de la
    transparence,
nous nous rappellerons longtemps nos entretiens
    cachés,
mais il arrive aussi que soit suspecte la balance
et quand je penche, j'entrevois le sol de sang taché.

Il est trop d'or, il est trop d'air dans ce brillant
    guêpier
pour celui qui s'y penche habillé de mauvais papier.

LE LOCATAIRE

à Francis Ponge.

Nous habitons une maison légère haut dans les airs,
le vent et la lumière la cloisonnent en se croisant,
parfois tout est si clair que nous en oublions les ans,
nous volons dans un ciel à chaque porte plus ouvert.

Les arbres sont en bas, l'herbe plus bas, le monde vert,
scintillant le matin et, quand vient la nuit, s'éteignant,
et les montagnes qui respirent dans l'éloignement
sont si minces que le regard errant passe au travers.

La lumière est bâtie sur un abîme, elle est tremblante,
hâtons-nous donc de demeurer dans ce vibrant séjour,
car elle s'enténèbre de poussière en peu de jours
ou bien elle se brise et tout à coup nous ensanglante.

Porte le locataire dans la terre, toi, servante!
Il a les yeux fermés, nous l'avons trouvé dans la cour,
si tu lui as donné entre deux portes ton amour,
descends-le maintenant dans l'humide maison des
    plantes.

75

QUE LA FIN NOUS ILLUMINE

Sombre ennemi qui nous combats et nous resserres,
laisse-moi, dans le peu de jours que je détiens,
vouer ma faiblesse et ma force à la lumière :
et que je sois changé en éclair à la fin.

Moins il y a d'avidité et de faconde
en nos propos, mieux on les néglige pour voir
jusque dans leur hésitation briller le monde
entre le matin ivre et la légèreté du soir.

Moins nos larmes apparaîtront brouillant nos yeux
et nos personnes par la crainte garrottées,
plus les regards iront s'éclaircissant et mieux
les égarés verront les portes enterrées.

L'effacement soit ma façon de resplendir,
la pauvreté surcharge de fruits notre table,
la mort, prochaine ou vague selon son désir,
soit l'aliment de la lumière inépuisable.

LE COMBAT INÉGAL

Cris d'oiseaux en novembre, feux des saules, tels
   sont-ils,
les signaux qui me conduisent de péril en péril.

Même sous les rochers de l'air sont des passages,
entre lavande et vigne filent aussi des messages.

Puis la lumière coule dans la terre, le jour passe,
une autre bouche nous vient, qui réclame un autre
   espace.

Cris de femme, feux de l'amour dans le lit sombre,
   ainsi
nous commençons à dévaler l'autre versant d'ici.

Nous allons traîner tous deux dans la gorge
   ruisselante,
avec rire et soupirs, dans un emmêlement de plantes,

compagnons fatigués que rien ne pourra plus
    disjoindre
s'ils ont vu sur le nœud de leurs cheveux le matin
    poindre.

★

(Autant se protéger du tonnerre avec deux roseaux,
quand l'ordre des étoiles se délabre sur les eaux...)

DANS UN TOURBILLON DE NEIGE

Ils chevauchent encore dans les espaces glacés,
les quelques cavaliers que la mort n'a pas pu lasser.

Ils allument des feux dans la neige de loin en loin,
à chaque coup de vent il en flambe au moins un
    de moins.

Ils sont incroyablement petits, sombres, pressés,
devant l'immense, blanc et lent malheur à terrasser.

Certes, ils n'amassent plus dans leurs greniers ni or
    ni foin,
mais y cachent l'espoir fourbi avec le plus grand soin.

Ils courent les chemins par le pesant monstre effacés,
peut-être se font-ils si petits pour le mieux chasser?

Finalement, c'est bien toujours avec le même poing
qu'on se défend contre le souffle de l'immonde groin.

SOLEIL D'HIVER

Le bas passage du soleil aux mois d'hiver
sur l'écorce des chênes à cette heure t'est découvert :
le bois éclaire, non point brûle, mais révèle,
immobile, sans trop d'éclat, sans étincelles,
tel peut-être un visage qui ne parle point
s'il affronte le défilé du temps très loin...

Mais, derrière, l'ombre sur l'herbe est déposée,
non point funèbre ni menaçante ou blessée,
à peine sombre, à peine une ombre, si bas prix
payé par l'arbre à l'accroissement de son fruit,
légère peine douce elle-même à la terre,
âme de l'arbre due aux pas de la lumière...

Une personne en patience et paix tournée
vers l'aveuglant passage d'une à l'autre année,
ayant sa peine derrière elle, son regret,
et l'herbe néanmoins s'apprête, persévère,
l'espace semble illuminer sa loi sévère,
et l'astre tourne, monte et descend les degrés...

Le flambeau passe à peine plus haut que les tables,
plus fidèle que nul esclave à nos soucis,
taciturne incroyablement inévitable,
et nous autres avec bonheur à sa merci.

L'AVEU DANS L'OBSCURITÉ

Les mouvements et les travaux du jour cachent le
    jour.
Que cette nuit s'approche et dévoile donc nos visages.
Une porte a peut-être été poussée en ces parages,
une étendue offerte en silence à notre séjour.

Parle, amour, maintenant. Parle, qui n'avais plus
    parlé
depuis des ans d'inattention ou d'insolence.
Emprunte à la légère obscurité sa patience
et dis ceci, telle une haleine dans les peupliers :

« Une douceur ardente en ce lieu me fut accordée,
nul ne m'en disjoindra qu'il ne m'arrache aussi la
    main,
je n'ai pas d'autre guide qui me guide en ce chemin,
sa fraîcheur et ses feux brillent tour à tour sur les
    haies... »

Mais que reste caché ce qui fait notre compagnie,
amour : c'est le plus sombre de la nuit qui est clarté,
innommable est la source de nos gestes entêtés,
au plus bas de la terre est le vol ombreux de nos
vies.

Dis encor, seulement : « Cire brûlant sous d'autres
cires,
conduis-moi, je te prie, vers cette vitre à l'horizon,
pousse avec moi cette légère et coupante cloison,
vois comme nous passons sans peiner dans l'obscur
empire... »

Puis rends grâce brûlante à la voisine de la nuit.

LES DISTANCES

à Armen Lubin.

Tournent les martinets dans les hauteurs de l'air :
plus haut encore tournent les astres invisibles.
Que le jour se retire aux extrémités de la terre,
apparaîtront ces feux sur l'étendue de sombre sable...

Ainsi nous habitons un domaine de mouvements
et de distances; ainsi le cœur
va de l'arbre à l'oiseau, de l'oiseau aux astres
    lointains,
de l'astre à son amour. Ainsi l'amour
dans la maison fermée s'accroît, tourne et travaille,
serviteur des soucieux portant une lampe à la main.

LA PROMENADE A LA FIN DE L'ÉTÉ

Nous avançons sur des rochers de coquillages,
sur des socles bâtis de libellules et de sable,
promeneurs amoureux surpris de leur propre voyage,
corps provisoires, en ces rencontres périssables.

Repos d'une heure sur les basses tables de la terre.
Paroles sans beaucoup d'écho. Lueurs de lierre.
Nous marchons entourés des derniers oiseaux de
    l'automne
et la flamme invisible des années bourdonne
sur le bois de nos corps. Reconnaissance néanmoins
à ce vent dans les chênes qui ne se tait point.

En bas s'amasse l'épaisseur des morts anciens,
la précipitation de la poussière jadis claire,
la pétrification des papillons et des essaims,
en bas le cimetière de la graine et de la pierre,
les assises de nos amours, de nos regards et de nos
    plaintes,
le lit profond dont s'éloigne au soir toute crainte.
Plus haut tremble ce qui résiste encore à la défaite,

plus haut brillent la feuille et les échos de quelque
     fête ;
avant de s'enfoncer à leur tour dans les fondations,
des martinets fulgurent au-dessus de nos maisons.

Puis vient enfin ce qui pourrait vaincre notre
     détresse,
l'air plus léger que l'air et sur les cimes la lumière,
peut-être les propos d'un homme évoquant sa
     jeunesse,
entendus quand la nuit s'approche et qu'un vain
     bruit de guerre
pour la dixième fois vient déranger l'exhalaison des
     champs.

LE LIVRE DES MORTS

I

Celui qui est entré dans les propriétés de l'âge,
il n'en cherchera plus les pavillons ni les jardins,
ni les livres, ni les canaux, ni les feuillages,
ni la trace, aux miroirs, d'une plus brève et tendre
　　main :
l'œil de l'homme, en ce lieu de sa vie, est voilé,
son bras trop faible pour saisir, pour conquérir,
je le regarde qui regarde s'éloigner
tout ce qui fut un jour son seul travail, son doux
　　désir...

Force cachée, s'il en est une, je te prie,
qu'il ne s'enfonce pas dans l'épouvante de ses fautes,
qu'il ne rabâche pas des paroles d'amour factices,
que sa puissance usée une dernière fois sursaute,
se ramasse, et qu'une autre ivresse l'envahisse!

Ses combats les plus durs furent légers éclairs
    d'oiseaux,
ses plus graves hasards à peine une invasion de pluie ;
ses amours n'ont jamais fait se briser que des roseaux,
sa gloire inscrire au mur bientôt ruiné un nom de
    suie...

★

Qu'il entre maintenant vêtu de sa seule impatience
dans cet espace enfin à la mesure de son cœur ;
qu'il entre, avec sa seule adoration pour toute science,
dans l'énigme qui fut la sombre source de ses pleurs.

Nulle promesse ne lui a été donnée ;
nulle assurance ne lui sera plus laissée ;
nulle réponse ne peut plus lui parvenir ;
nulle lampe, à la main d'une femme jadis connue,
éclairer ni le lit ni l'interminable avenue :

qu'il veuille donc attendre et seulement se réjouir,
comme le bois n'apprend qu'en la défaite à éblouir.

II

Compagnon qui n'as pas cédé dans le souci,
ne laisse pas la peur te désarmer en ce hasard :
il doit y avoir un moyen de vaincre même ici.

Non plus sans doute avec des chèques ou des
    étendards,
non plus avec armes brillantes ou mains nues,
non plus même avec des lamentations ou des aveux,
ni avec des paroles, fussent-elles retenues...
Résume tout ton être dans tes faibles yeux :

Les peupliers sont encore debout dans la lumière
de l'arrière-saison, ils tremblent près de la rivière,
une feuille après l'autre avec docilité descend,
éclairant la menace des rochers rangés derrière.
Forte lumière incompréhensible du temps,
ô larmes, larmes de bonheur sur cette terre !

                    ★

Ame soumise aux mystères du mouvement,
passe emportée par ton dernier regard ouvert,
passe, âme passagère dont aucune nuit n'arrêta
ni la passion, ni l'ascension, ni le sourire.

Passe : il y a la place entre les terres et les bois,
certains feux sont de ceux que nulle ombre ne peut
    réduire.
Où le regard s'enfonce et vibre comme un fer de lance,
l'âme pénètre et trouve obscurément sa récompense.

Prends le chemin que t'indiqua le suspens de ton
    cœur,
tourne avec la lumière, persévère avec les eaux,
passe avec le passage irrésistible des oiseaux,
éloigne-toi : il n'est de fin qu'en l'immobile peur.

III

Offrande par le pauvre soit offerte au pauvre mort :

une seule tremblante tige de roseau cueillie au bord
d'une eau rapide ; un seul mot prononcé par celle
qui fut pour lui le souffle, le bois tendre et l'étincelle ;
un souvenir de la lumière tout en haut de l'air...

Et que par ces trois coups légers lui soit ouvert
l'espace sans espace où toute souffrance s'efface,
la clarté sans clarté de l'inimaginable face.

IV

Ces tourbillons, ces feux et ces averses fraîches,
ces bienheureux regards, ces paroles ailées,
tout ce qui m'a semblé voler comme une flèche
à travers des cloisons à mesure emportées
vers un but plus limpide à mesure et plus haut,

c'était peut-être une bâtisse de roseaux
maintenant écroulée, en flammes, consumée,
la cendre dont le pauvre frottera son dos
et son crâne après le passage des armées...

Seule demeure l'ignorance. Ni la mort,
ni le rire. Une hésitation de la lumière
sous nos tentes nourrit l'amour. La nourricière
approche à l'est : au petit jour un homme sort.

V

Mais si ce dont je parle avec ces mots de peu de poids
était vraiment derrière les fenêtres, tel ce froid
qui avance en tonnerre sur le val? Non, car cela
encore est une inoffensive image, mais si la
mort était vraiment là comme il le faudra une fois,
où seront les images, les subtils pensers, la foi
préservée à travers la longue vie? Comme je vois
fuir la lumière dans le tremblement de toute voix,
sombrer la force dans la frousse du corps aux abois
et la gloire soudain trop large pour le crâne étroit!

Quelle œuvre, quelle adoration et quel combat
l'emporterait sur cette agression par en bas?
Quel regard assez prompt pour passer au-delà,
quelle âme assez légère, dis, s'envolera
si l'œil s'éteint, si tous les compagnons s'éloignent,
si le spectre de la poussière nous empoigne?

VI

Au lieu où ce beau corps descend dans la terre
   inconnue,
combattant ceint de cuir ou amoureuse morte nue,
je ne peindrai qu'un arbre qui retient dans son
   feuillage
le murmure doré d'une lumière de passage...

Nul ne peut séparer feu et cendre, rire et poussière,
nul n'aurait reconnu la beauté sans son lit de râles,
la paix ne règne que sur l'ossuaire et sur les pierres,
le pauvre quoi qu'il fasse est toujours entre deux
    rafales.

VII

L'amandier en hiver : qui dira si ce bois
sera bientôt vêtu de feux dans les ténèbres
ou de fleurs dans le jour une nouvelle fois?
Ainsi l'homme nourri de la terre funèbre.

A I R S

1961-1964

Notre vie est du vent lissé.

JOUBERT

Peu de chose, rien qui chasse
l'effroi de perdre l'espace
est laissé à l'âme errante

Mais peut-être, plus légère,
incertaine qu'elle dure,
est-elle celle qui chante
avec la voix la plus pure
les distances de la terre

Une semaison de larmes
sur le visage changé,
la scintillante saison
des rivières dérangées :
chagrin qui creuse la terre

L'âge regarde la neige
s'éloigner sur les montagnes

Dans l'herbe à l'hiver survivant
ces ombres moins pesantes qu'elle,
des timides bois patients
sont la discrète, la fidèle,

l'encore imperceptible mort

Toujours dans le jour tournant
ce vol autour de nos corps
Toujours dans le champ du jour
ces tombes d'ardoise bleue

Vérité, non-vérité
se résorbent en fumée

Monde pas mieux abrité
que la beauté trop aimée,
passer en toi, c'est fêter
de la poussière allumée

Vérité, non-vérité
brillent, cendre parfumée

LUNE A L'AUBE D'ÉTÉ

Dans l'air de plus en plus clair
scintille encore cette larme
ou faible flamme dans du verre
quand du sommeil des montagnes
monte une vapeur dorée

Demeure ainsi suspendue
sur la balance de l'aube
entre la braise promise
et cette perle perdue

LUNE D'HIVER

Pour entrer dans l'obscurité
prends ce miroir où s'éteint
un glacial incendie :

atteint le centre de la nuit,
tu n'y verras plus reflété
qu'un baptême de brebis

Jeunesse, je te consume
avec ce bois qui fut vert
dans la plus claire fumée
qu'ait jamais l'air emportée

Ame qui de peu t'effraies,
la terre de fin d'hiver
n'est qu'une tombe d'abeilles

AU DERNIER QUART DE LA NUIT

Hors de la chambre de la belle
rose de braise, de baisers
le fuyard du doigt désignait
Orion, l'Ourse, l'Ombelle
à l'ombre qui l'accompagnait

Puis de nouveau dans la lumière,
par la lumière même usé,
à travers le jour vers la terre
cette course de tourterelles

Là où la terre s'achève
levée au plus près de l'air
(dans la lumière où le rêve
invisible de Dieu erre)

entre pierre et songerie

cette neige : hermine enfuie

Ô compagne du ténébreux
entends ce qu'écoute sa cendre
afin de mieux céder au feu :

les eaux abondantes descendre
aux degrés d'herbes et de roche
et les premiers oiseaux louer
la toujours plus longue journée
la lumière toujours plus proche

Dans l'enceinte du bois d'hiver
sans entrer tu peux t'emparer
de l'unique lumière due :
elle n'est pas ardent bûcher
ni lampe aux branches suspendue

Elle est le jour sur l'écorce
l'amour qui se dissémine
peut-être la clarté divine
à qui la hache donne force

Une paille très haut dans l'aube
ce léger souffle à ras de terre :
qu'est-ce qui passe ainsi d'un corps à l'autre?
Une source échappée au bercail des montagnes,
un tison?

On n'entend pas d'oiseaux parmi ces pierres
seulement, très loin, des marteaux

Toute fleur n'est que de la nuit
qui feint de s'être rapprochée

Mais là d'où son parfum s'élève
je ne puis espérer entrer
c'est pourquoi tant il me trouble
et me fait si longtemps veiller
devant cette porte fermée

Toute couleur, toute vie
naît d'où le regard s'arrête

Ce monde n'est que la crête
d'un invisible incendie

Je marche
dans un jardin de braises fraîches
sous leur abri de feuilles

un charbon ardent sur la bouche

Ce qui brûle en déchirant l'air
rose ou par brusque arrachement
ou par constant éloignement

En grandissant la nuit
la montagne sur ses deux pentes
nourrit deux sources de pleurs

Tout à la fin de la nuit
quand ce souffle s'est élevé
une bougie d'abord
a défailli

Avant les premiers oiseaux
qui peut encore veiller?
Le vent le sait, qui traverse les fleuves

Cette flamme, ou larme inversée :
une obole pour le passeur

Une aigrette rose à l'horizon
un parcours de feu

et dans l'assemblée des chênes
la huppe étouffant son nom

Feux avides, voix cachées
courses et soupirs

L'œil :
une source qui abonde

Mais d'où venue?
De plus loin que le plus loin
de plus bas que le plus bas

Je crois que j'ai bu l'autre monde

Qu'est-ce que le regard?

Un dard plus aigu que la langue
la course d'un excès à l'autre
du plus profond au plus lointain
du plus sombre au plus pur

un rapace

Ah! l'idylle encore une fois
qui remonte du fond des prés
avec ses bergers naïfs

pour rien qu'une coupe embuée
où la bouche ne peut pas boire
pour rien qu'une grappe fraîche
brillant plus haut que Vénus!

Je ne veux plus me poser
voler à la vitesse du temps

croire ainsi un instant
mon attente immobile

MARTINETS

Au moment orageux du jour
au moment hagard de la vie
ces faucilles au ras de la paille

Tout crie soudain plus haut
que ne peut gravir l'ouïe

Dans cette douce ardeur du jour

il n'est que de faibles rumeurs
(marteaux que l'on croirait
talons marchant sur des carreaux)
en des lieux éloignés de l'air
et la montagne est une meule

Ah! qu'elle flambe enfin
avec l'ambre tombé à terre
et le bois de luth des cloisons!

FRUITS

Dans les chambres des vergers
ce sont des globes suspendus
que la course du temps colore
des lampes que le temps allume
et dont la lumière est parfum

On respire sous chaque branche
le fouet odorant de la hâte

*

Ce sont des perles parmi l'herbe
de nacre à mesure plus rose
que les brumes sont moins lointaines

des pendeloques plus pesantes
que moins de linge elles ornent

★

Comme ils dorment longtemps
sous les mille paupières vertes!

Et comme la chaleur

par la hâte avivée
leur fait le regard avide!

L'ombre lentement des nuages
comme un sommeil d'après-dîner

Divinités de plumes
(simple image
ou portant encore sous l'aile
un vrai reflet)
cygnes ou seulement nuages
peu importe

C'est vous qui m'avez conseillé
langoureux oiseaux
et maintenant je la regarde
au milieu de son linge et de ses clefs d'écaille
sous votre plumage éperdue

La foudre d'août

Une crinière secouée
balayant la poudre des joues

si hardie que lui pèse
même la dentelle

Fruits avec le temps plus bleus
comme endormis sous un masque de songe
dans la paille enflammée
et la poussière d'arrière-été

Nuit miroitante

Moment où l'on dirait
que la source même prend feu

Le souci de la tourterelle
c'est le premier pas du jour

rompant ce que la nuit lie

Feuilles ou étincelles de la mer
ou temps qui brille éparpillé

Ces eaux, ces feux ensemble dans la combe
et les montagnes suspendues :
le cœur me faut soudain,
comme enlevé trop haut

Où nul ne peut demeurer ni entrer
voilà vers quoi j'ai couru
la nuit venue
comme un pillard

Puis j'ai repris le roseau qui mesure
l'outil du patient

Images plus fugaces
que le passage du vent
bulles d'Iris où j'ai dormi!

Qu'est-ce qui se ferme et se rouvre
suscitant ce souffle incertain
ce bruit de papier ou de soie
et de lames de bois léger?

Ce bruit d'outils si lointain
que l'on dirait à peine un éventail?

Un instant la mort paraît vaine
le désir même est oublié
pour ce qui se plie et déplie
devant la bouche de l'aube

CHAMP D'OCTOBRE

La parfaite douceur est figurée au loin
à la limite entre les montagnes et l'air :

distance, longue étincelle
qui déchire, qui affine

Tout un jour les humbles voix
d'invisibles oiseaux
l'heure frappée dans l'herbe sur une feuille d'or

le ciel à mesure plus grand

Les chèvres dans l'herbage
sont une libation de lait

Où est l'œil de la terre
nul ne le sait
mais je connais les ombres
qu'elle apaise

Dispersées, on voit mieux l'étendue
de l'avenir

La terre tout entière visible
mesurable
pleine de temps

suspendue à une plume qui monte
de plus en plus lumineuse

Pommes éparses
sur l'aire du pommier

Vite!
Que la peau s'empourpre
avant l'hiver!

Dans l'étendue
plus rien que des montagnes miroitantes

Plus rien que d'ardents regards
qui se croisent

Merles et ramiers

OISEAUX

Flammes sans cesse changeant d'aire
qu'à peine on voit quand elles passent

Cris en mouvement dans l'espace

Peu ont la vision assez claire
pour chanter même dans la nuit

AUBE

On dirait qu'un dieu se réveille,
regarde serres et fontaines

Sa rosée sur nos murmures
nos sueurs

J'ai de la peine à renoncer aux images

Il faut que le soc me traverse
miroir de l'hiver, de l'âge

Il faut que le temps m'ensemence

ARBRES I

Du monde confus, opaque
des ossements et des graines
ils s'arrachent avec patience

afin d'être chaque année
plus criblés d'air

ARBRES II

D'une yeuse à l'autre si l'œil erre
il est conduit par de tremblants dédales
par des essaims d'étincelles et d'ombres

vers une grotte à peine plus profonde

Peut-être maintenant qu'il n'y a plus de stèle
n'y a-t-il plus d'absence ni d'oubli

ARBRES III

Arbres, travailleurs tenaces
ajourant peu à peu la terre

Ainsi le cœur endurant
peut-être, purifie

Je garderai dans mon regard
comme une rougeur plutôt de couchant que d'aube
qui est appel non pas au jour mais à la nuit
flamme qui se voudrait cachée par la nuit

J'aurai cette marque sur moi
de la nostalgie de la nuit
quand même la traverserais-je
avec une serpe de lait

Il y aura toujours dans mon œil cependant
une invisible rose de regret
comme quand au-dessus d'un lac
a passé l'ombre d'un oiseau

Et des nuages très haut dans l'air bleu
qui sont des boucles de glace

la buée de la voix
que l'on écoute à jamais tue

MONDE

Poids des pierres, des pensées

Songes et montagnes
n'ont pas même balance

Nous habitons encore un autre monde
Peut-être l'intervalle

Fleurs couleur bleue
bouches endormies
sommeil des profondeurs

Vous pervenches
en foule
parlant d'absence au passant

Sérénité

L'ombre qui est dans la lumière
pareille à une fumée bleue

Peu m'importe le commencement du monde

Maintenant ses feuilles bougent
maintenant c'est un arbre immense
dont je touche le bois navré

Et la lumière à travers lui
brille de larmes

Accepter ne se peut
comprendre ne se peut
on ne peut pas vouloir accepter ni comprendre

On avance peu à peu
comme un colporteur
d'une aube à l'autre

VIATIQUE

Oiseau sorti de la forge

Dans la poussière de l'après-midi
dans l'odeur du fumier
dans la lumière de la place

Puisses-tu seulement
l'avoir vu sans le comprendre
avant de changer de village

N'était-ce pas
l'indestructible?

Monde né d'une déchirure
apparu pour être fumée!

Néanmoins la lampe allumée
sur l'interminable lecture

VŒUX

I

J'ai longtemps désiré l'aurore
mais je ne soutiens pas la vue des plaies

Quand grandirai-je enfin?

J'ai vu la chose nacrée :
fallait-il fermer les yeux?

Si je me suis égaré
conduisez-moi maintenant
heures pleines de poussière

Peut-être en mêlant peu à peu
la peine avec la lumière
avancerai-je d'un pas?

(A l'école ignorée
apprendre le chemin qui passe
par le plus long et le pire)

II

Qu'est-ce donc que le chant?
Rien qu'une sorte de regard

S'il pouvait habiter encore la maison
à la manière d'un oiseau
qui nicherait même en la cendre
et qui vole à travers les larmes!

S'il pouvait au moins nous garder
jusqu'à ce que l'on nous confonde
avec les bêtes aveugles!

III

Le soir venu
rassembler toutes choses
dans l'enclos

Traire, nourrir
Nettoyer l'auge
pour les astres

Mettre de l'ordre dans le proche
gagne dans l'étendue
comme le bruit d'une cloche
autour de soi

LEÇONS

Novembre 1966-octobre 1967

Qu'il soit dans l'angle de la chambre. Qu'il mesure comme il l'a fait longtemps les lignes que j'assemble, interrogeant, me rappelant sa fin. Que sa droiture garde ma main d'errer si elle tremble.

Autrefois
moi l'effrayé, l'ignorant, vivant à peine,
me couvrant d'images les yeux,
j'ai prétendu guider mourants et morts.

Moi, poète abrité,
épargné, souffrant à peine,
j'osais tracer des routes dans le gouffre.

A présent, lampe soufflée,
main plus errante, tremblante,
je recommence lentement dans l'air.

Raisins et figues
couvés au loin par les montagnes
sous les lents nuages
et la fraîcheur
pourront-ils encore m'aider?

Vient un moment où l'aîné se couche
presque sans force. On voit
de jour en jour
son pas plus égaré.

Il ne s'agit plus de passer
comme l'eau entre les herbes :
cela ne se tourne pas.

Quand même le maître sévère
si vite est emmené si loin,
je cherche ce qui peut le suivre :

ni la lanterne des fruits,
ni l'oiseau aventureux,
ni la plus pure des images ;

plutôt le linge et l'eau changés,
la main qui veille,
plutôt le cœur endurant.

Je ne voudrais plus qu'éloigner
ce qui nous sépare du clair,
laisser seulement la place
à la bonté dédaignée.

J'écoute des hommes vieux
qui se sont allié le jour,
j'apprends à leurs pieds la patience :

ils n'ont pas de pire écolier.

Sinon le premier coup, c'est le premier éclat
de la douleur : que soit ainsi jeté bas
le maître, la semence,
que le bon maître soit ainsi châtié,
qu'il semble faible enfançon
dans le lit de nouveau trop grand —
enfant sans le secours des pleurs,
sans secours où qu'il se tourne,
acculé, cloué, vidé.

Il ne pèse presque plus.

La terre qui nous portait tremble.

Ce que je croyais lire en lui, quand j'osais lire,
était plus que l'étonnement : une stupeur
comme devant un siècle de ténèbres à franchir,
une tristesse! à voir ces houles de souffrance.
L'innommable enfonçait les barrières de sa vie.
Un gouffre qui assaille. Et pour défense
une tristesse béant comme un gouffre.

Lui qui avait toujours aimé son clos, ses murs,
lui qui gardait les clefs de la maison.

Entre la plus lointaine étoile et nous
la distance, inimaginable, reste encore
comme une ligne, un lien, comme un chemin.
S'il est un lieu hors de toute distance,
ce devait être là qu'il se perdait :
non pas plus loin que toute étoile, ni moins loin,
mais déjà presque dans un autre espace,
en dehors, entraîné hors des mesures.
Notre mètre, de lui à nous, n'avait plus cours :
autant, comme une lame, le briser sur le genou.

Muet. Le lien des mots commence à se défaire
aussi. Il sort des mots.
Frontière. Pour un peu de temps
nous le voyons encore.
Il n'entend presque plus.
Hélerons-nous cet étranger s'il a oublié
notre langue? s'il ne s'arrête plus pour écouter?
Il a affaire ailleurs.
Il n'a plus affaire à rien.
Même tourné vers nous,
c'est comme si on ne voyait plus que son dos.

Dos qui se voûte
pour passer sous quoi?

« Qui m'aidera? Nul ne peut venir jusqu'ici.
Qui me tiendrait les mains ne tiendrait pas celles
   qui tremblent,
qui mettrait un écran devant mes yeux ne me
   garderait pas de voir,
qui serait jour et nuit autour de moi comme un
   manteau
ne pourrait rien contre ce feu, contre ce froid.
Nul n'a de bouclier contre les guerriers qui
   m'assiègent,
leurs torches sont déjà dans mes rues, tout est trop
   tard.
Rien ne m'attend désormais que le plus long et le
   pire. »

Est-ce ainsi qu'il se tait dans l'étroitesse de la nuit?

C'est sur nous maintenant
comme une montagne en surplomb.

Dans son ombre glacée
on est réduit à vénérer et à vomir.

A peine ose-t-on voir.

Quelque chose s'enfonce en lui pour le détruire.
Quelle pitié
quand l'autre monde enfonce dans un corps
son coin!

N'attendez pas
que je marie la lumière à ce fer.

Le front contre le mur de la montagne
dans le jour froid
nous sommes pleins d'horreur et de pitié.

Dans le jour hérissé d'oiseaux.

On peut nommer cela horreur, ordure,
prononcer même les mots de l'ordure
déchiffrés dans le linge des bas-fonds :
à quelque singerie que se livre le poète,
cela n'entrera pas dans sa page d'écriture.

Ordure non à dire ni à voir :
à dévorer.

En même temps
simple comme de la terre.

Se peut-il que la plus épaisse nuit
n'enveloppe cela?

L'illimité accouple ou déchire.

On sent un remugle de vieux dieux.

170

Misère
comme une montagne sur nous écroulée.

Pour avoir fait pareille déchirure,
ce ne peut être un rêve simplement qui se dissipe.

L'homme, s'il n'était qu'un nœud d'air,
faudrait-il, pour le dénouer, fer si tranchant?

Bourrés de larmes, tous, le front contre ce mur,
plutôt que son inconsistance,
n'est-ce pas la réalité de notre vie
qu'on nous apprend?

Instruits au fouet.

Un simple souffle, un nœud léger de l'air,
une graine échappée aux herbes folles du Temps,
rien qu'une voix qui volerait chantant
à travers l'ombre et la lumière,

s'effacent-ils, il n'est pas trace de blessure.
La voix tue, on dirait plutôt un instant
l'étendue apaisée, le jour plus pur.
Que sommes-nous, qu'il faille ce fer dans le sang?

On le déchire, on l'arrache,
cette chambre où nous nous serrons est déchirée,
notre fibre crie.

Si c'était le « voile du Temps » qui se déchire,
la « cage du corps » qui se brise,
si c'était l' « autre naissance »?

On passerait par le chas de la plaie,
on entrerait vivant dans l'éternel...

Accoucheuses si calmes, si sévères,
avez-vous entendu le cri
d'une nouvelle vie?

Moi je n'ai vu que cire qui perdait sa flamme
et pas la place entre ces lèvres sèches
pour l'envol d'aucun oiseau.

Plus aucun souffle.

Comme quand le vent du matin
a eu raison
de la dernière bougie.

Il y a en nous un si profond silence
qu'une comète
en route vers la nuit des filles de nos filles,
nous l'entendrions.

Déjà ce n'est plus lui.
Souffle arraché : méconnaissable.

Cadavre. Un météore nous est moins lointain.

Qu'on emporte cela.

Un homme (ce hasard aérien,
plus grêle sous la foudre qu'insecte de verre et de
    tulle,
ce rocher de bonté grondeuse et de sourire,
ce vase plus lourd à mesure de travaux, de souvenirs),
arrachez-lui le souffle : pourriture.

Qui se venge, et de quoi, par ce crachat?

Ah, qu'on nettoie ce lieu.

J'ai relevé les yeux.

Derrière la fenêtre
au fond du jour
des images quand même passent.

Navettes ou anges de l'être,
elles réparent l'espace.

L'enfant, dans ses jouets, choisit, qu'on la dépose
auprès du mort, une barque de terre.
Le Nil va-t-il couler jusqu'à ce cœur?

Longuement autrefois j'ai regardé ces barques des
  tombeaux
pareilles à la corne de la lune.
Aujourd'hui je ne crois plus que l'âme en ait l'usage,
ni d'aucun baume, ni d'aucune carte des Enfers.

Mais si l'invention tendre d'un enfant
sortait de notre monde,
rejoignait celui que rien ne rejoint?

Ou est-ce nous qu'elle console sur ce bord?

S'il se pouvait (qui saura jamais rien?)
qu'il ait encore une espèce d'être aujourd'hui,
de conscience même que l'on croirait proche,
serait-ce donc ici qu'il se tiendrait
où il n'a plus que cendres pour ses ruches?
Se pourrait-il qu'il se tienne ici en attente
comme à un rendez-vous donné « près de la pierre »,
qu'il ait besoin de nos pas ou de nos larmes?
Je ne sais pas. Un jour ou l'autre on voit
ces pierres s'enfoncer dans les herbes éternelles,
tôt ou tard il n'y a plus d'hôtes à convier
au repère à son tour enfoui,
plus même d'ombres dans nulle ombre.

Plutôt, le congé dit, n'ai-je plus eu qu'un seul désir :
m'adosser à ce mur
pour ne plus regarder à l'opposé que le jour,
pour mieux aider les eaux qui prennent source en
    ces montagnes
à creuser le berceau des herbes,
à porter sous les branches basses des figuiers
à travers la nuit d'août
les barques pleines de soupirs.

Et moi maintenant tout entier dans la cascade céleste,
de haut en bas couché dans la chevelure de l'air
ici, l'égal des feuilles les plus lumineuses,
suspendu à peine moins haut que la buse,
regardant,
écoutant
(et lès papillons sont autant de flammes perdues,
les montagnes autant de fumées) —
un instant, d'embrasser le cercle entier du ciel
autour de moi, j'y crois la mort comprise.

Je ne vois presque plus rien que la lumière,
les cris d'oiseaux lointains en sont les nœuds,

toute la montagne du jour est allumée,

elle ne me surplombe plus,

elle m'enflamme.

Toi cependant,

ou tout à fait effacé,
et nous laissant moins de cendres
que feu d'un soir au foyer,

ou invisible habitant l'invisible,

ou graine dans la loge de nos cœurs,

quoi qu'il en soit,

demeure en modèle de patience et de sourire
tel le soleil dans notre dos encore
qui éclaire la table, et la page, et les raisins.

NOTE BIO-BIBLIOGRAPHIQUE

Philippe Jaccottet est né à Moudon (Suisse) en 1925. Après des études de lettres à Lausanne, il a vécu quelques années à Paris comme collaborateur des éditions Mermod. À son mariage, en 1953, il s'est installé à Grignan, dans la Drôme.

Philippe Jaccottet a publié de nombreuses traductions, notamment d'Homère, Góngora, Hölderlin, Rilke, Musil et Ungaretti.

Œuvres :

Aux Éditions Gallimard

L'EFFRAIE ET AUTRES POÉSIES.

L'IGNORANT, poèmes 1952-1956.

ÉLÉMENTS D'UN SONGE, proses.

L'OBSCURITÉ, récit.

AIRS, poèmes 1961-1964.

L'ENTRETIEN DES MUSES, chroniques de poésie.

PAYSAGES AVEC FIGURES ABSENTES, proses.

POÉSIE 1946-1967, choix. Préface de Jean Starobinski.

À LA LUMIÈRE D'HIVER, *précédé de* LEÇONS *et de* CHANTS D'EN BAS, poèmes.

PENSÉES SOUS LES NUAGES, poèmes.

LA SEMAISON, carnets 1954-1979.

À TRAVERS UN VERGER *suivi de* LES CORMORANS *et de* BEAUREGARD, proses.

UNE TRANSACTION SECRÈTE, lectures de poésie.

CAHIER DE VERDURE, proses et poèmes.

APRÈS BEAUCOUP D'ANNÉES, proses et poèmes.

ÉCRITS POUR PAPIER JOURNAL, chroniques 1951-1970.

À LA LUMIÈRE D'HIVER *suivi de* PENSÉES SOUS
  LES NUAGES, poèmes.
LA SECONDE SEMAISON, carnets 1980-1994.
D'UNE LYRE À CINQ CORDES, traductions 1946-1995.
OBSERVATIONS et autres notes anciennes 1947-1962.
CARNETS 1995-1998 (La Semaison, III).
ET, NÉANMOINS, proses et poésies.
CORRESPONDANCE AVEC GUSTAVE ROUD 1942-
  1976. Édition de José-Flore Tappy.

Chez d'autres éditeurs

LA PROMENADE SOUS LES ARBRES, proses (*Biblio-
  thèque des Arts*).
GUSTAVE ROUD (*Seghers*).
RILKE PAR LUI-MÊME (*Le Seuil*).
LIBRETTO (*La Dogana*).
REQUIEM, poème (*Fata Morgana*).
CRISTAL ET FUMÉE, notes de voyage (*Fata Morgana*).
TOUT N'EST PAS DIT, billets 1956-1964 (*Le Temps qu'il fait*).
HAÏKU, transcriptions (*Fata Morgana*).
NOTES DU RAVIN (*Fata Morgana*).
LE BOL DU PÈLERIN. MORANDI (*La Dogana*).
NUAGES, prose (*Fata Morgana*).
À PARTIR DU MOT RUSSIE, essais (*Fata Morgana*).

L'IGNORANT

AIRS

FIN D'HIVER

OISEAUX, FLEURS ET FRUITS

DU MÊME AUTEUR

Dans la même collection

À LA LUMIÈRE D'HIVER *précédé de* LEÇONS *et de* CHANTS D'EN BAS *et suivi de* PENSÉES SOUS LES NUAGES.

PAYSAGES AVEC FIGURES ABSENTES.

CAHIER DE VERDURE *suivi de* APRÈS BEAUCOUP D'ANNÉES.

Ce volume,
le soixante et onzième de la collection Poésie,
a été achevé d'imprimer sur les presses
de l'imprimerie Bussière à Saint-Amand (Cher),
le 6 juin 2003.
Dépôt légal : juin 2003.
1er dépôt légal dans la collection : avril 1971.
Numéro d'imprimeur : 33546.
ISBN 2-07-031787-0./Imprimé en France.

125364